Des images et des mots

Illustrations
Monique Favart

nathan

l'ours en peluche

la poupée

les cubes

le téléphone

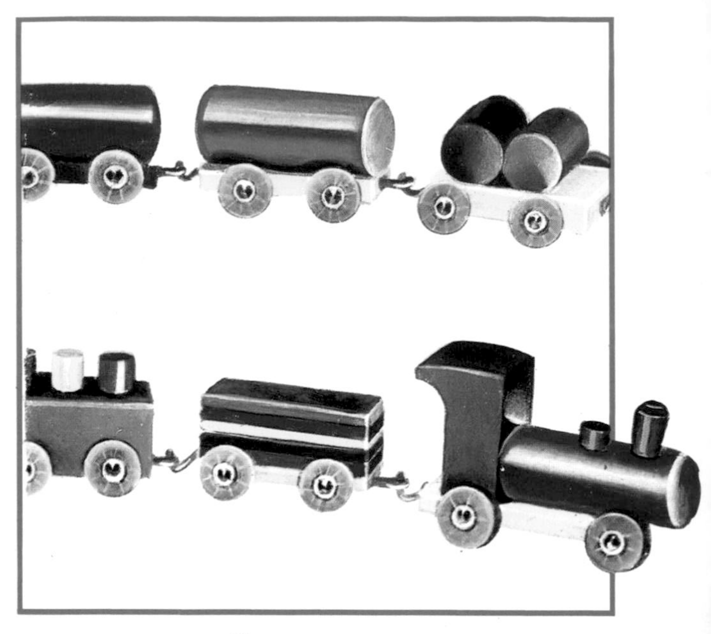

le train

wagon.
locomotive.

le bateau

le ballon

les petites autos

le camion

les (patins) à roulettes

la corde à sauter

le tricycle

les crayons de couleur

le tambour

le tee-shirt

la culotte

la robe

la chemise

le pull-over

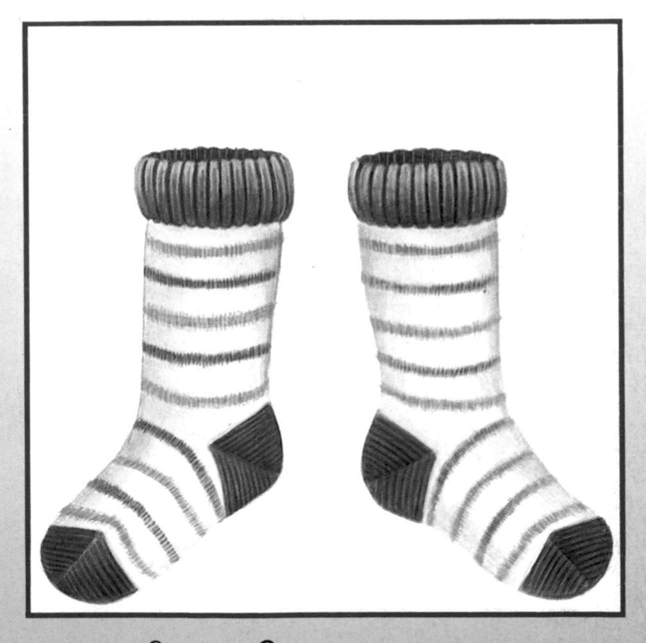

les chaussettes

le blouson

le pantalon

le manteau

l'imperméable

les chaussures

les bottes

les moufles

le bonnet

la serviette-éponge

le gant de toilette

le savon

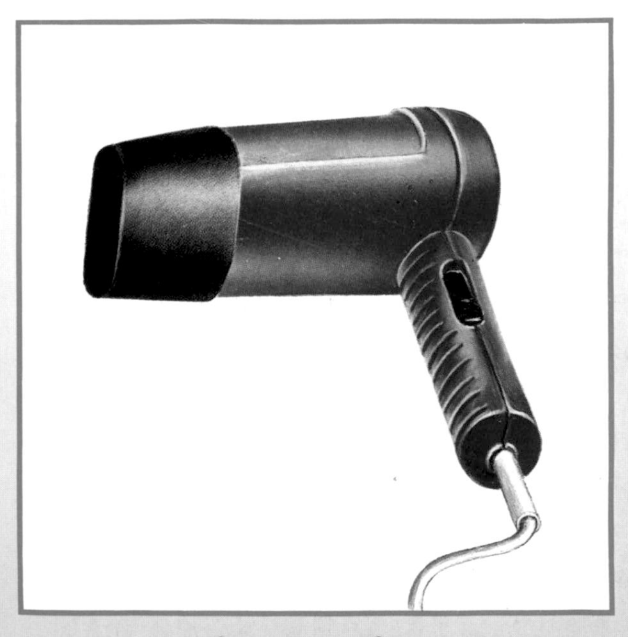

le séchoir électrique

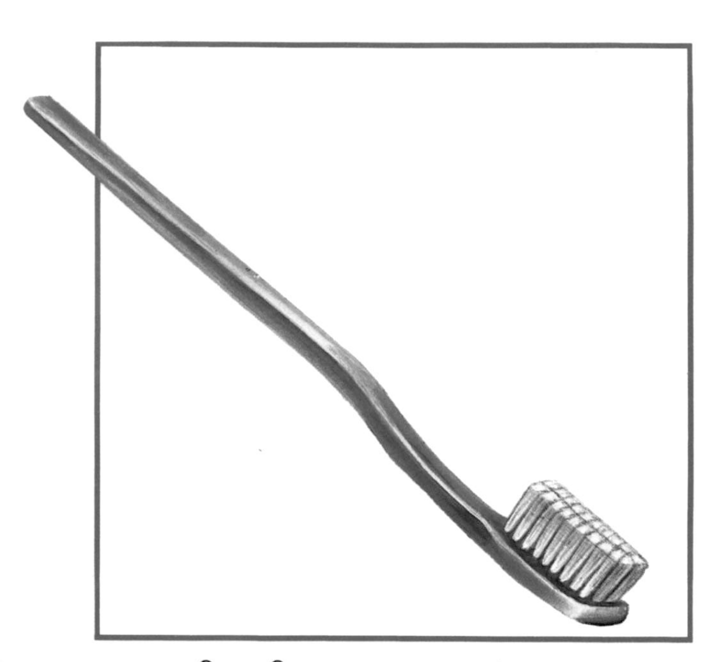

la brosse à dents

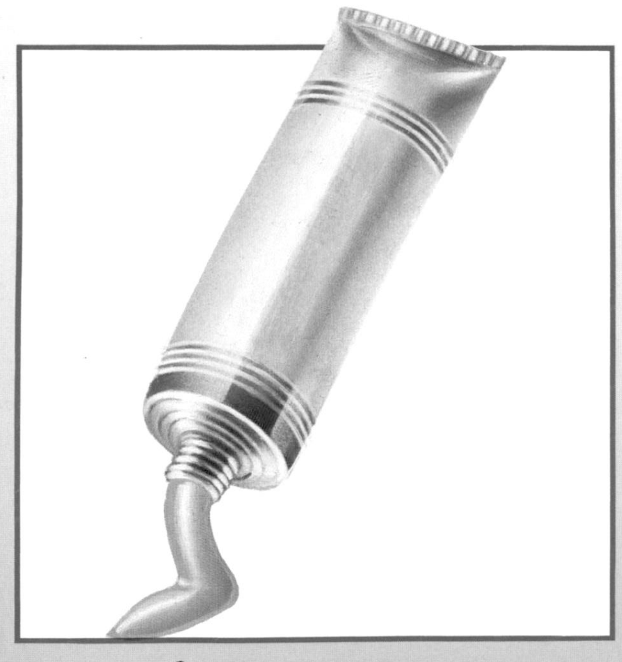

le dentifrice

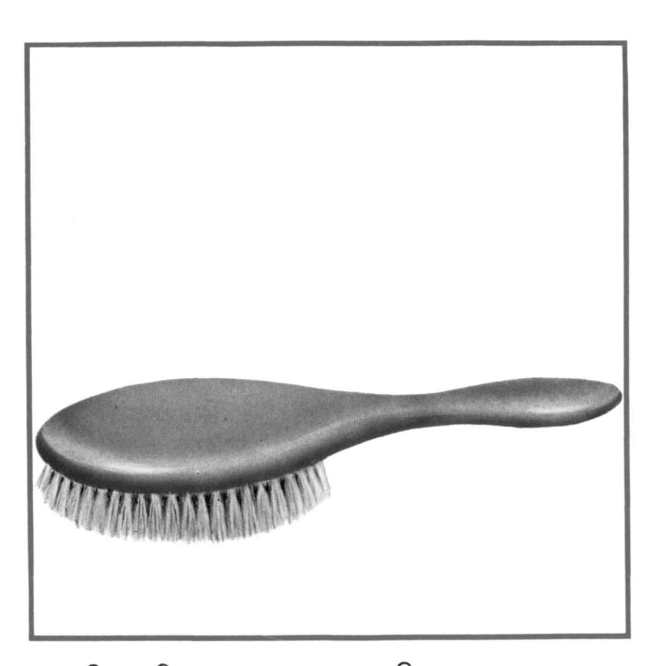

la brosse à cheveux

le peigne

le lavabo

le robinet

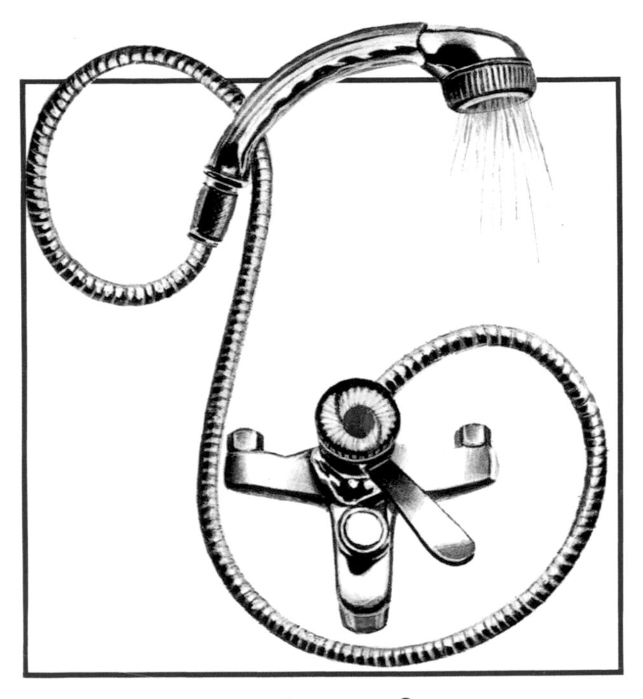

la douche

la baignoire

la chemise de nuit

la robe de chambre

le pyjama

les pantoufles

l'oreiller

le drap

la couverture

le lit

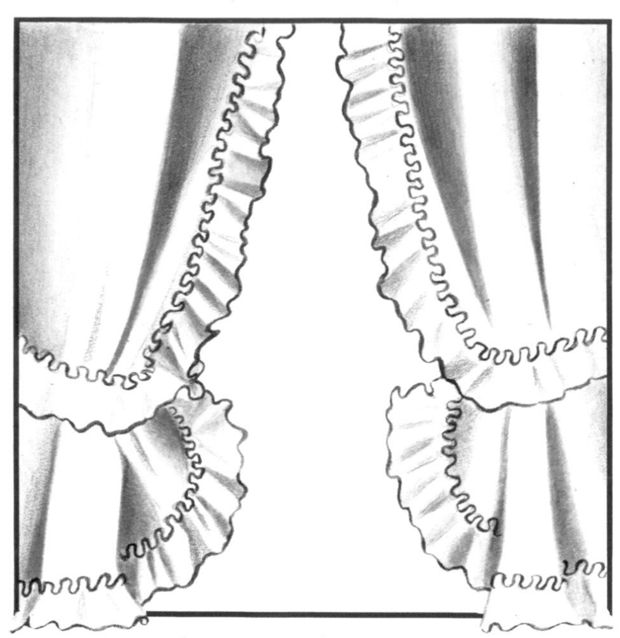

les rideaux

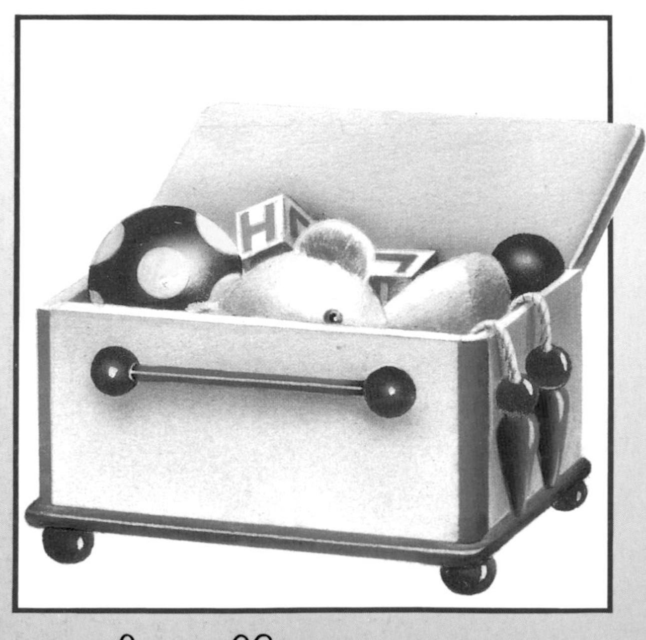

le coffre à jouets

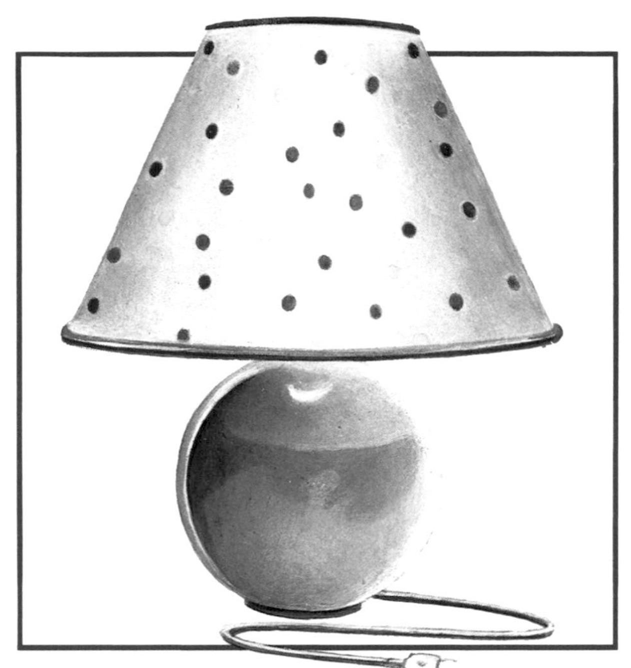

la lampe

le réveil

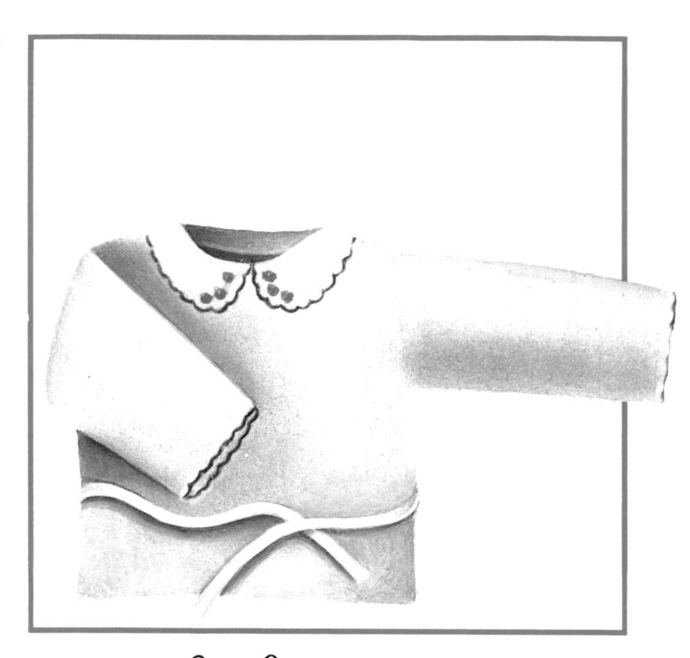

la brassière

la grenouillère

les chaussons

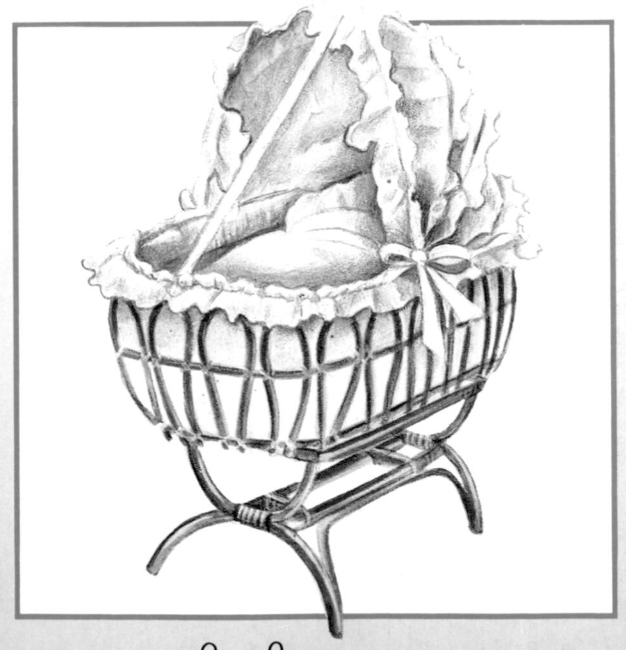

le berceau

le pot

la timbale

la chaise haute

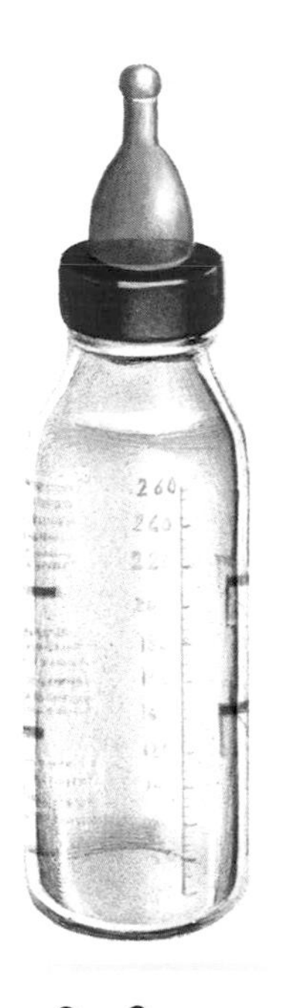

le biberon

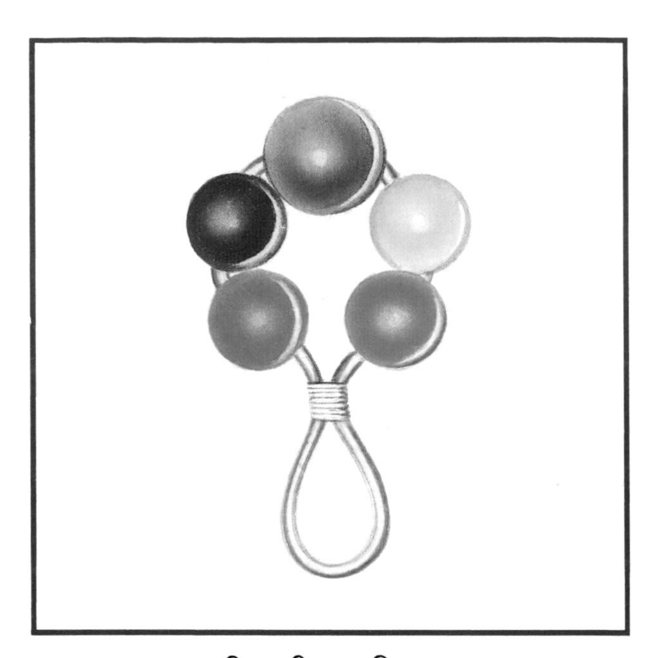

le hochet

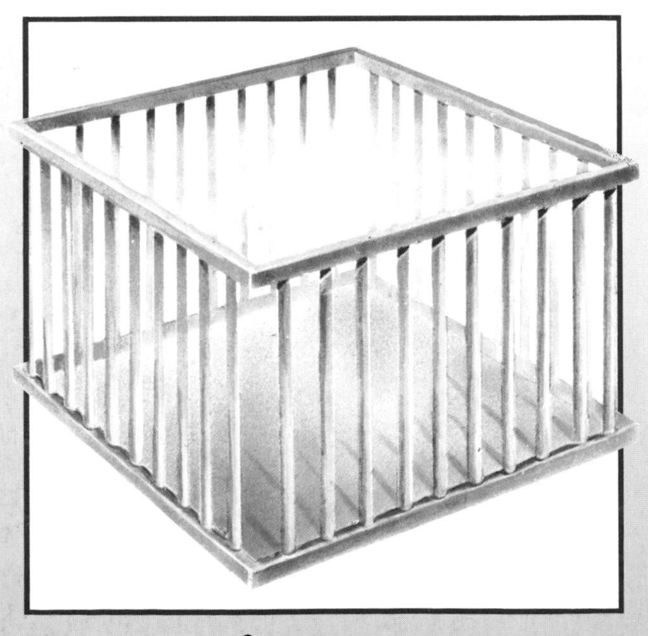

le parc

le landau

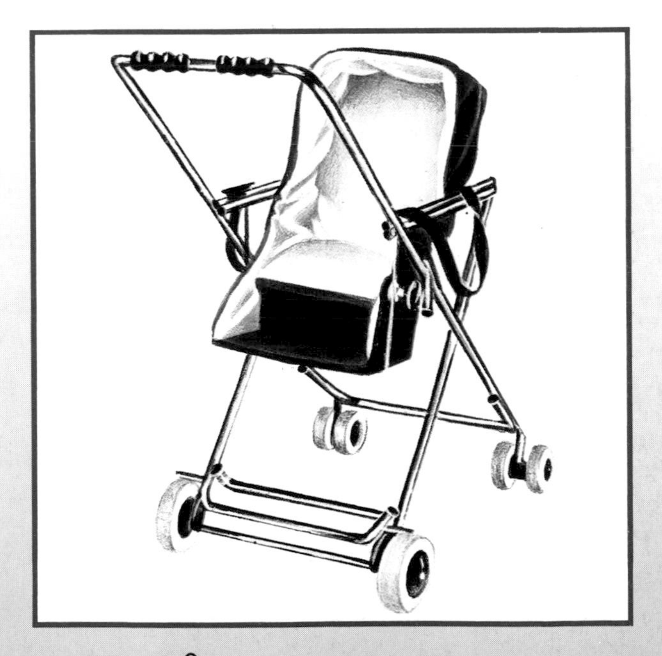

la poussette

l'évier

la cuisinière

le réfrigérateur

le lave-vaisselle

la cocotte-minute

la passoire

la poêle

la casserole

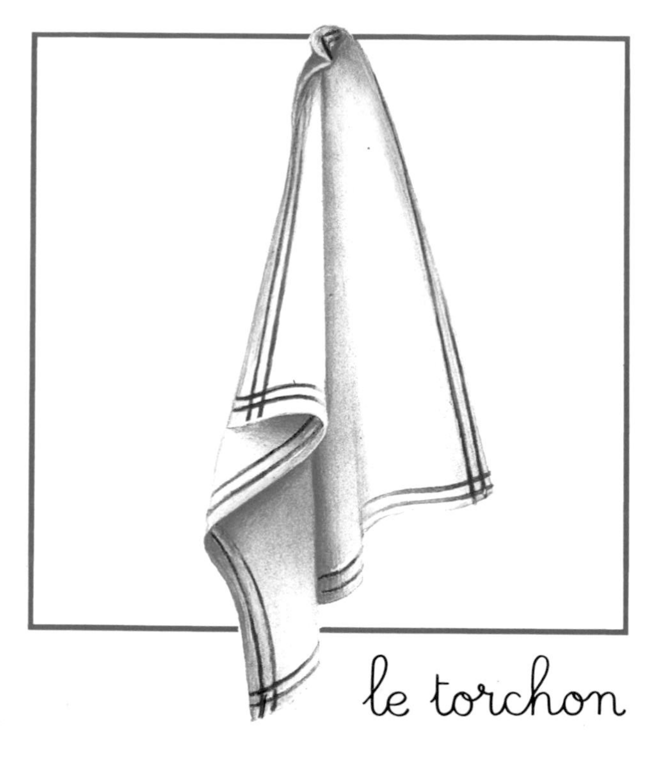

le torchon

le panier

la cafetière électrique

la poubelle

la fourchette

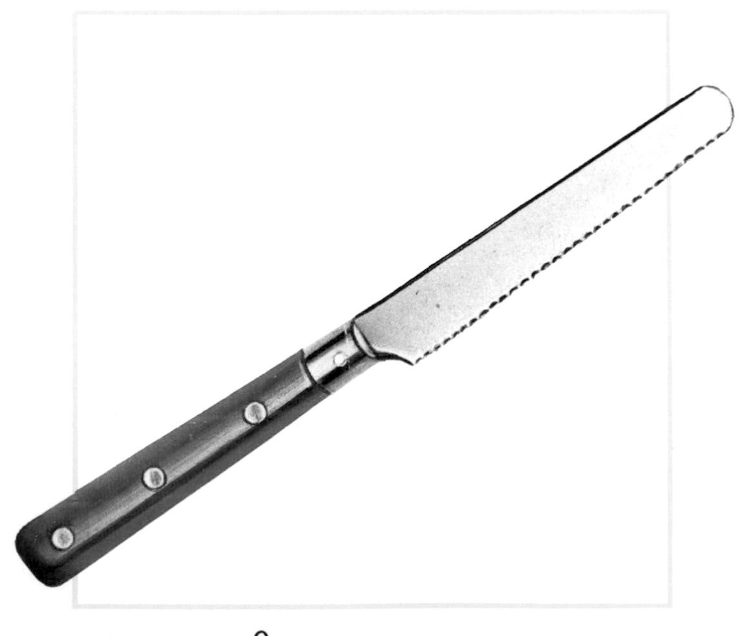

le couteau

la cuillère

l'assiette

la carafe

le bol

le verre

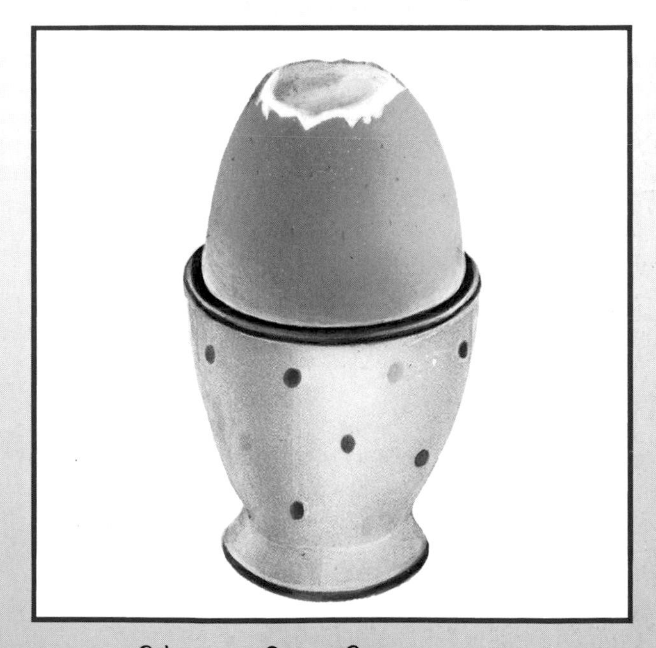

l'œuf à la coque

la table

la nappe

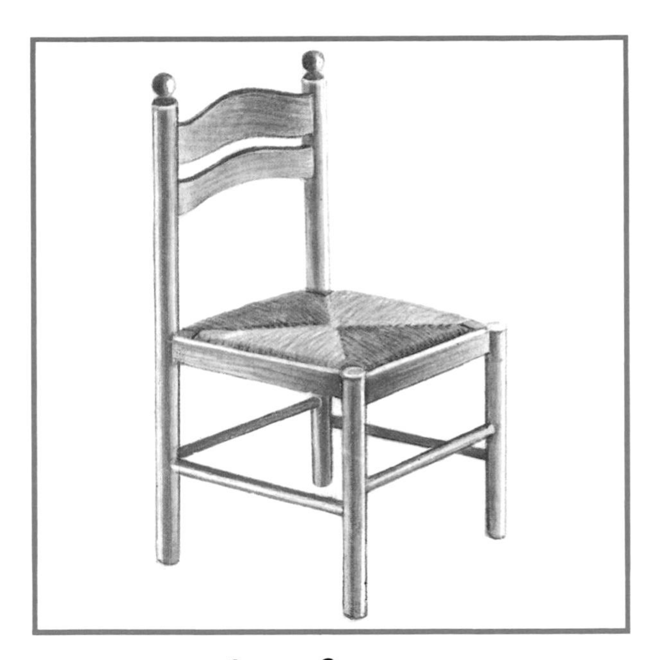

la chaise

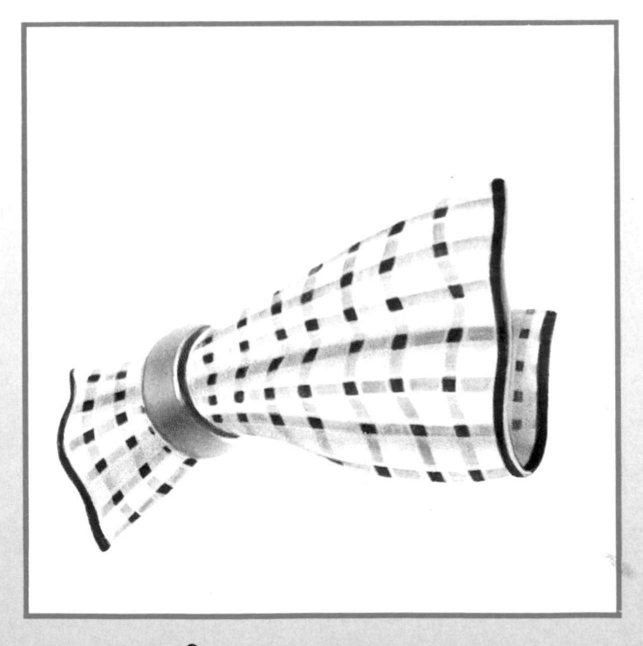

la serviette

le pain

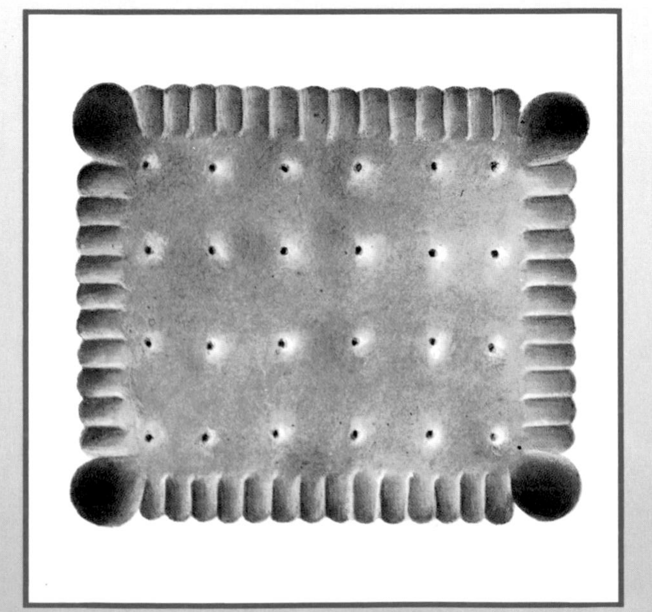

le biscuit

le raisin

la fraise

la poire

l'orange

la pomme

la banane

la laitue

les radis

l'artichaut

la tomate

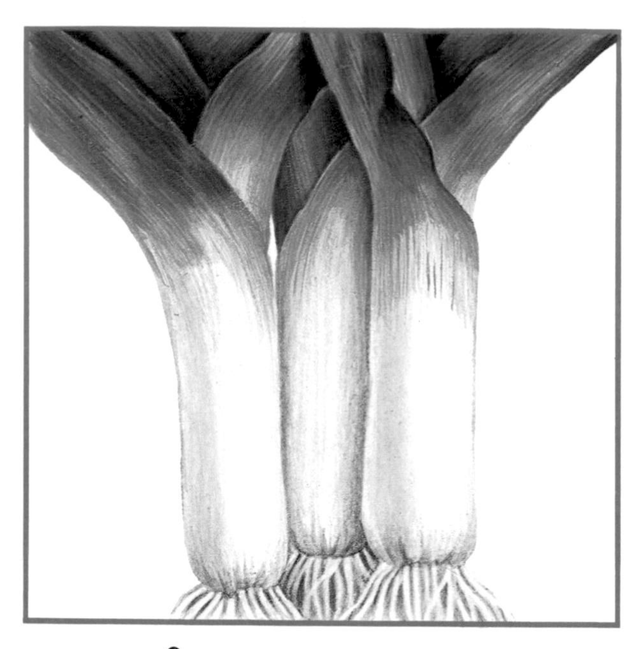

les poireaux

le chou-fleur

les carottes

les pommes de terre

l'arbre

le nid

la feuille

la pelouse

la brouette

l'arrosoir

le banc

la tondeuse

la jacinthe

la tulipe

la marguerite

la rose

le papillon

l'oiseau

la tortue

l'escargot

le chat

le mouton

le chien

la chèvre

le canard

le poussin

la grenouille

le poisson

l'âne

le lapin

le cheval

le cochon

l'éléphant

le kangourou

le singe

le rhinocéros

la girafe

le chameau

le zèbre

le perroquet

le tigre

le crocodile

l'hippopotame

le lion

le loup

l'ours

l'hélicoptère

le paquebot

le camion

la voiture

le train

l'autocar

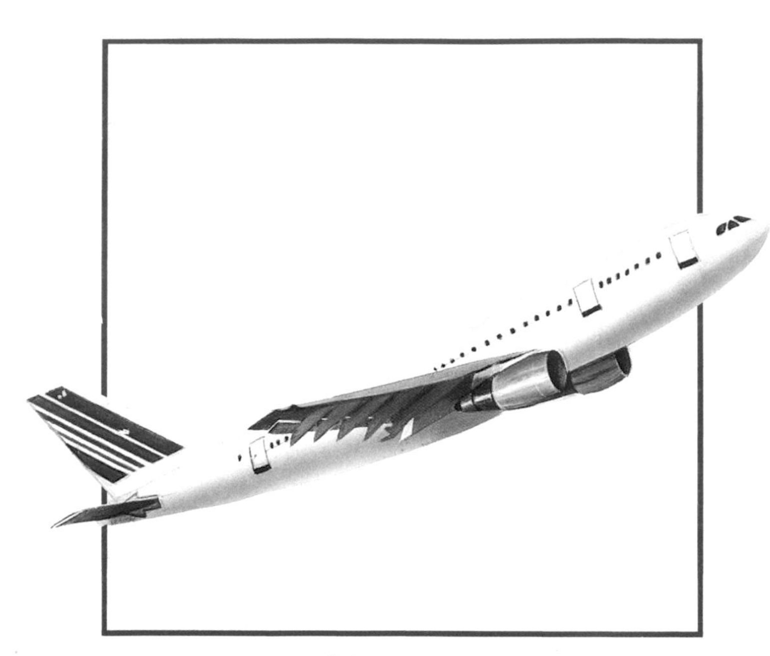

l'avion

la moto

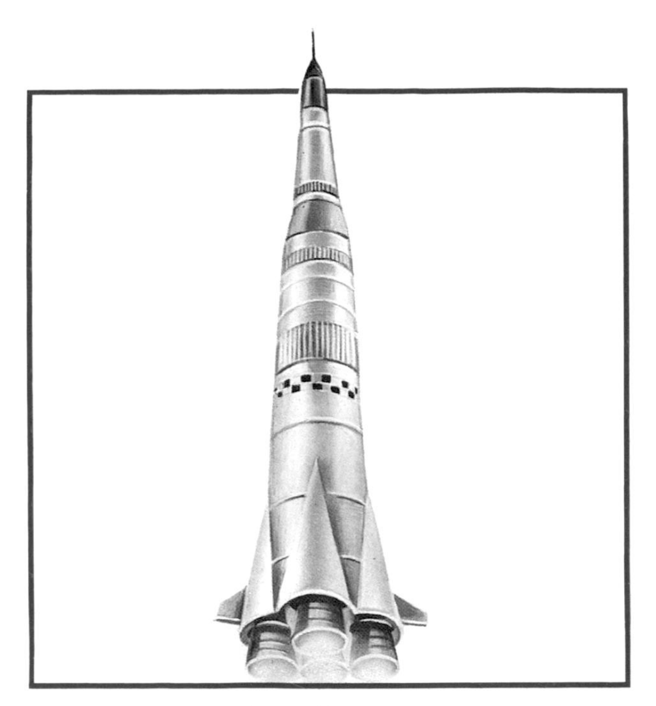

la fusée

la bicyclette

le bateau à voile

la caravane

la planche à voile

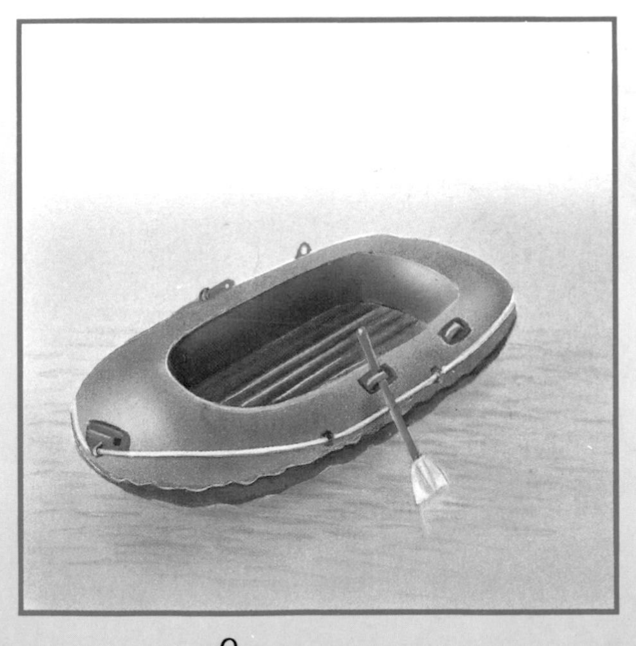

le canot

le seau

le château de sable

la pelle

le râteau

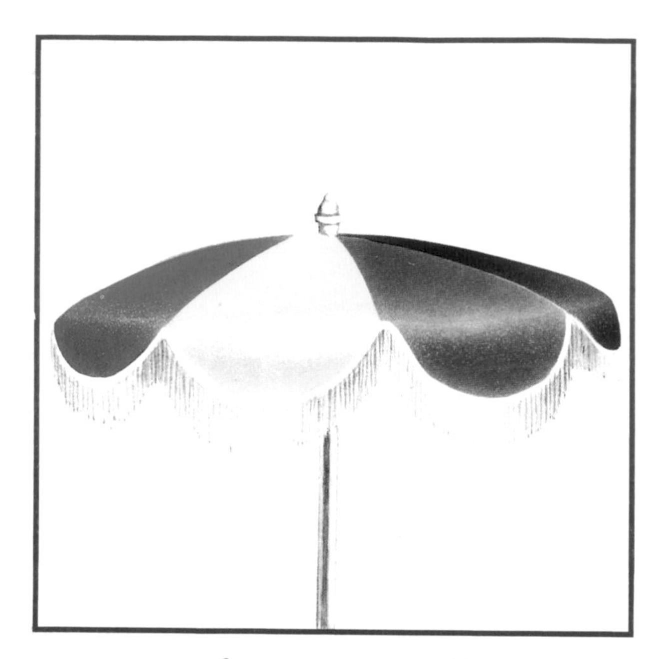

le parasol

le portique

le maillot de bain

la bouée

les coquillages

le crabe

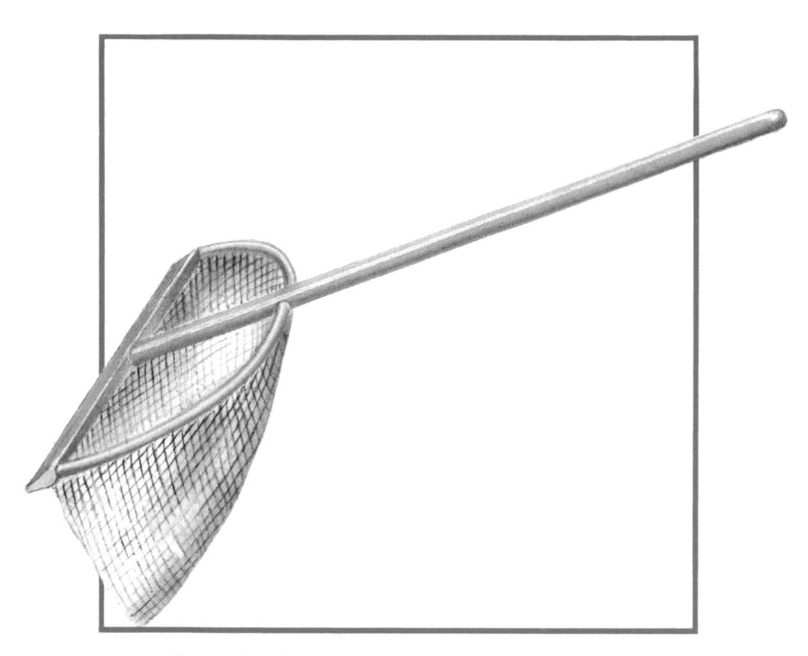

le filet à crevettes

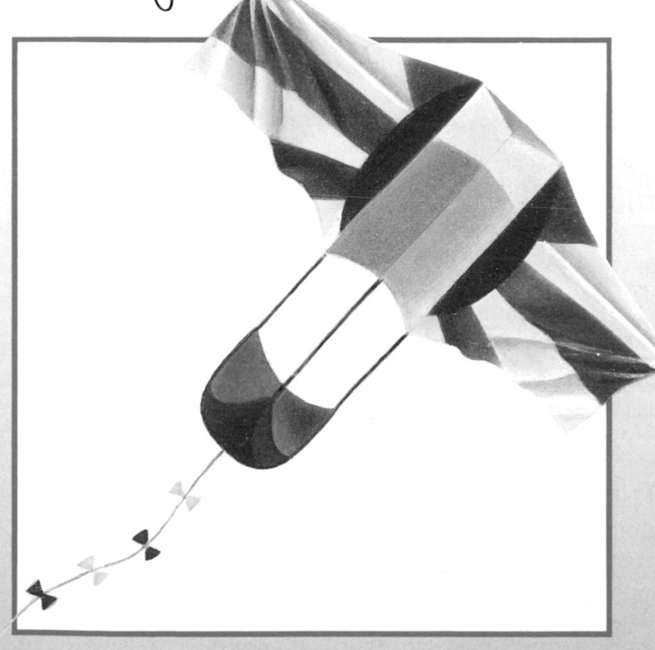

le cerf-volant

le cahier

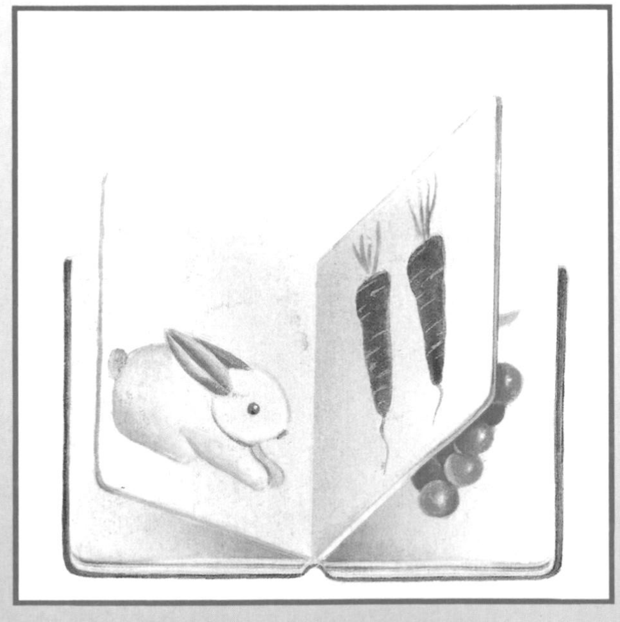

le livre d'images

le feutre

le cartable

la boîte de peinture

le tableau